ほどよい距離でつきあえる

こじれない
NO
の伝え方

八巻香織

太郎次郎社
エディタス

NOのダンスを踊りましょう。
ほどよい距離が生まれるダンスです。
あなたと私のちがいを認めるダンスです。
ムリを手放し、YESをみつけるダンスです。

この本では、NOの伝え方のステップをアップデートし、
同時に、受けとり方のステップもアップデートして、
人とかかわるためのほどよい距離を探ります。
それは、安全をつくる距離です。

小さく縮こまっていたNOという気持ちをストレッチして、
長いこと緊張していたハリとコリをほどいて、
ウォーミングアップ！

さあ、スタートです。

もくじ

第1章 NOってなんだろう？

日々、私たちは〈YES, NO〉とともに生きている ····· 10

NOには大切な役割がある ························· 12

NOを認めてリアルにいこう！ ···················· 16

クロの未来日記 ································· 20
　　NOと言うことは、いけないこと？
　　NOというからだのメッセージ
　　NOと言うことは心地よい距離をとること
　　安心できる関係をつくるなら
　　ちがいを認めあう

第2章 伝えるレッスン〈実践編〉

まずは簡単なことがらから始める ··················· 28

だれにでもあるコミュニケーションの癖 ············· 29
　　キレるステップ「ギャオス」
　　タメるステップ「オドオド」
　　コモるステップ「ムッツリ」
　　しなやかステップ「アサーティブ」

アサーティブにNOを伝える❶
基本はキャッチ＆NO ······························ 34

アサーティブにNOを伝える❷
ことばのクッション ······························· 37

ムリに理由をつくらなくていい ···················· 39

[おさらいチャート]
NOを伝えるキャッチボール ······················· 41

ひとりエア会議からの脱出 ························· 42

[アサーティブ・ジム]
こんなとき、どうする？ ［10のエクササイズ］ ··········· 45

　　仕事の依頼 ── 職場でのやりとり1・2
　　家事の依頼 ── 家族とのやりとり1・2
　　映画の誘い ── 友人とのやりとり
　　同居の誘い ── 恋人とのやりとり
　　アカウント教えて ── SNSをめぐって
　　もっといかが？ ── もてなしの場面で
　　あの荷物を取って ── ヘルプの依頼
　　お安くしますよ ── セールスへの対応

ちょっとインタビュー
「お話きかせていただけますか？」 ················· 56

　　クロの場合／今度はあなたに

第3章

「そうは言っても…」 とあきらめるまえに

あるあるシチュエーション……………………… 64

小さな一歩から変化は始まる……………………… 68

［アサーティブ・ジム］
こんなとき、どうする？［上級編］………………… 71

　　親しい人だからこそ断わりにくいとき
　　受けたい気持ちはあっても、ムリなとき
　　初めてのことで不安があるとき
　　一度はYESと言ったものの、断わりたいとき

安全をとりもどすためのNO［トラブル編］………… 80

ちょっとインタビュー
「お話きかせていただけますか？」……………… 83

NOをはばむものを知る❶
「コントロール」はこじれる関係………………… 86

NOをはばむものを知る❷
「普通くん」のナゾ……………………………… 88

かかわるためのほどよい距離をとりもどす………… 91

おわり、という、はじまり……………………… 94

キレる
「ギャオス」

タメる
「オドオド」

気持ちをかくす
かぶりもの
ノン
アサーティブ

気づいたらやりなおせます

コモる
「ムッツリ」

関係修復
ステップ
アサーティブ

しなやか
コミュニケーション

クロ　　　　　トリ

第 1 章

NOって
なんだろう?

日々、私たちは
〈YES, NO〉とともに生きている

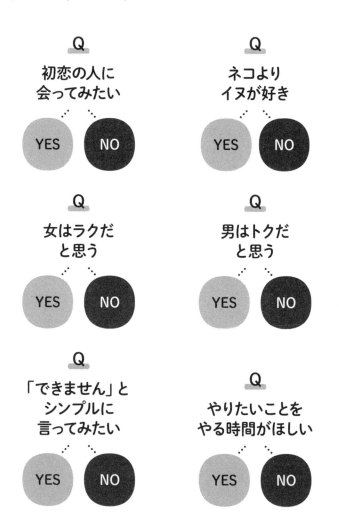

Q
初恋の人に
会ってみたい
YES　NO

Q
ネコより
イヌが好き
YES　NO

Q
女はラクだ
と思う
YES　NO

Q
男はトクだ
と思う
YES　NO

Q
「できません」と
シンプルに
言ってみたい
YES　NO

Q
やりたいことを
やる時間がほしい
YES　NO

Q

現状に
満足している

YES　NO

Q

思ったことは
すぐに実行したい

YES　NO

Q

世間の目が
こわい

YES　NO

Q

宇宙人に
会いたい

YES　NO

Q

なんでもYESで通して
生きていきたい

YES　NO

正解もなければ不正解もない
心の現実を認めてスタート
YES・NO は
変わることもある

NOには大切な役割がある

NOは適度な距離をつくる感情

NOと言うことは、関係を絶つこと？

NOと言うことは、存在を否定すること？

NOにまつわる思いこみが、NOを不自由にしています。

苦手な食べ物はなんですか？　苦手な動物は？

苦手なもの、きらいなものは避けますよね。距離をとろうとしますよね。でも、その存在そのものを否定するわけではありません。

NOは、適度な距離をとるために必要な感情です。

好きな食べ物はなんですか？　好きな動物は？

好きなものには近づいていけるけど、好きなものだって、ただ近づくだけでは距離がとれなくなります。NOを伝えないと息苦しくなります。

「好きだけど、もう十分。これ以上はイヤだ」

「好きだけど、それはムリ」

好きなものとの関係でほどよい距離を育てるために、「NO」はなくてはならない感情です。

味は好きだけど
　　形がイヤ
色は好きだけど
　においがイヤ

うーむ…

ピリッと辛い！
トリわさび
ぱん
NEW

自分にNOと言うとき

　ときには、自分自身にNOと言うこともあります。自分自身というのはいちばん身近な他人です。

　自分にNOと言うことは、自分の存在をまるごと否定することではありません。自分のどんな言動・考え方がイヤなのかを具体的に、パーツとしてながめてみましょう。たとえば、「抱えこむところがイヤ」「相手にあわせるところがイヤ」「いつものパターンがイヤ」……というぐあいに。

　思うようにならない自分の一部を、自分のオプションとして認めれば、別のやり方をとり入れたり、手放したり、受け入れることもできます。

NOと言うからYESがみつかる

　NOを伝えるフレーズが、いくつことばになりますか？

　「いや」「だめ」「できない」「ムリです」

　「大丈夫」「したくない」「けっこう」……

　ほかに、どんなフレーズがあるかな？

　そして、NOと言ったら、どうすること、どうあることがYESなのか、自分にたずねてみましょう。

　相手にNOと言うことも、自分にNOと言うことも、自分のYESの発見につながります。

　「安心したい」「話したい」「休みたい」……

　より深いところにあるリアルな気持ちにふれられるでしょう。

　相手といい関係をつくりたいと思いながらもNOを認めずに

いると、「〜しなければ」という義務感がふくらみます。すると、気持ちのやりとりをじゃまする心の壁ができて、自分とも相手ともアクセスできなくなり、ねじれます。は〜ぁ、ややこしい……。

　NOと言うことは、相手の人格や存在を否定することではありません。

　「いや・NO」という感情は、おたがいのちがいを認めつつ、折りあいながら、安全にかかわるための適度な距離をみつけてくれますよ。

　NOと言うからYESがみつかる。
　シンプルに、しなやかに、こまめにNOを認めたい。
　YESをみつけるために。

泳ぐのはイヤだけど
浜辺ですごすのは好き

泳いでくる!!

「いや・NO」は、
適度な距離をつくる感情。ちがいを受け入れる感情。
おさえていると、際限がなくなったり、くっつきすぎたり、
しがみついたり、かかわることを回避したりして、
距離がとれなくなる。
この感情を感じて認めれば、なにを、いつ、
どのくらいやって、どのくらいの間隔をとるか、
適度な距離感が生まれる。
自分のムリは、他人のムリ。
ムリをしても、いい関係は生まれない。
「いや・NO」は、
ほどよい距離感と関係をつくるときに欠かせない感情。

NOを認めてリアルにいこう!

右のページのクロは、自分の気持ちを認められない。
NOを伝えることがむずかしい。

なにを一番大切に 考えている?	…	人からどう見られるかを 気にしている。
なにを恐れている?	…	まちがえることを恐れている。 自分を大切にしたら、 自分がダメになってしまうと 思っている。
選択したり、 決定したりするときに、 なにを手がかりに している?	…	まわりの人の表情を 手がかりにしている。 "相手の相手"になっている。
そのとき、からだは どんな感じ?	…	肩や首すじがかたく張っている。 呼吸が浅くなっている。

よくやってきたね。
「イエス」「ノー」、自分の気持ちを認めてOKだよ。
リラックスして気楽にいこう。

ゆっくり息を吸って、深呼吸しよう
リラックス、リラックス……

いつだって、ここにもどれる
自分が自分でいられる

左のページのクロは、NOという気持ちを認めた。
たとえことばに出さなくても、自分の気持ちに味方した。

なにを一番大切に
考えている？　　　　　… 自分の気持ちと、心地よい関係。

好きなものはなあに？　… 素直な自分と
　　　　　　　　　　　　 おしゃべりする時間。

選択したり、
決定したりするときに、
なにを手がかりに
している？

… 泣いてもいい、笑ってもいい、
怒ってもいい、
ボーッとしてもいい、
楽しんでいい、
ムリしなくていい。
自分の持ち味を
思いきり生かしていい。
自分の気持ちを手がかりに
選択し、決定する。

そのとき、からだは
どんな感じ？　　　　　… 自然体で落ち着いている。
　　　　　　　　　　　　 呼吸がゆったり深くなった。

いつだって「私」はここにもどれる。
だれといっしょにいても、自分が自分でいられる。
「私」は「私」を信じているから。

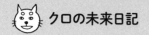

NOと言うことは、
いけないこと?

ずいぶん長いあいだ信じてきた "思いこみ"。

〈NOと言うことは、いけないこと〉
〈NOと言うことは、相手を拒絶すること〉
〈NOと言うことは、相手を傷つけること〉
〈NOと言うことは、相手を責めること〉

〈できるだけNOと言わないようにすることが、いいこと〉
〈だれかに好かれようと思ったら、NOと言ってはいけない〉
〈だれかに好かれたら、NOと言ってはいけない〉

そういう "思いこみ" に縛られていたら、
自分の気持ちがわからなくなった。
相手にかかわることがこわくなった。
関係はどんどん息苦しくなった。

NOという
からだのメッセージ

本当はNOなのに、YESと言ったら、
からだは正直にNOを伝えた。

モジモジしたり、ウジウジしたり、
目をあわせられなかったり、
からだが重くて動かなかったり、
約束に遅れたり、頭痛や腹痛がしたり。

相手は混乱し、誤解や不安が生まれた。
どこまでが自分で、どこまでが相手か、わからなくなった。
私は後悔したり、罪悪感を抱く。

なにひとついいことないのに、
それでもNOと言えなかったのは、
NOを伝えるステップを知らなかったからなんだ。

NOと言うことは
心地よい距離をとること

なにが心地よくて、なにが居心地悪いのか、
そのモノサシは一人ひとりちがう。
正解もなければ、不正解もない。
テストの○や×とはちがう。

NOと言うことは、
「悪い」と評価することじゃない。
「誤っている」と批評することじゃない。

自分の気持ちをおさえたまま、
YES・YES・YES……だけで近づいたら、
自分も相手も見失う。

そんなとき、NOという感情は、
〈ムリしなくていいよ。心地よい距離をとろう〉という
からだからのメッセージなんだ。

安心できる
関係をつくるなら

NOは安全な距離をとるために欠かせない。
相手にとっても、私にとっても。
距離をとることは大切な関係のつくり方。

相手と仲良くすることは、
相手のいいなりになることじゃない。
相手を思いどおりにすることでもない。

ムリをしても、心地よい関係は生まれない。
私のムリは、相手のムリ。
相手のムリは、私のムリ。

安心できる関係をつくろうとしたら、
NOと言うことが必要なんだ。

好きという気持ちとNOという気持ちを、
同時に伝えることだってできる。

ちがいを認めあう

NOと言うことを認める関係は、
人と人とのちがいを認める関係。
すべて同じじゃなくても認めあえる関係。

仲良くすることは、同じになることじゃない。
一人ひとりのちがいを認めたら、
こころを許したり、信じあうことができた。

NOと言うことは、対決し、決裂することじゃない。
勝ち負けを争うことの始まりじゃない。
NOと言うことで、対話が始まる。
折りあうために、ことばがある。

たとえすぐにことばに出せなくても、
私はNOという自分の気持ちを自分で認めてみる。
私は、人と人とのちがいを認める勇気をもった。

第 2 章

伝えるレッスン
〈実践編〉

まずは簡単なことがらから始める

　NOを言わないでいると、相手の言いなりになったり、相手とかかわることを避けるようになったりします。それは「とりあえずの守り方」であっても、気持ちが伝わらない状態にしだいにいらだって、自分自身に腹が立ってくるかも。

　気持ちをのみこんでイライラ、ムカムカするうちに、つい、とんがったり、バクハツしたり。そうして「感情的だ！」と批判されたり、「心がせまい」と誤解されたり。

　そんな生き難さを脱出するために誕生した「アサーティブネス」は、長いあいだのみこんできた気持ちに味方して、自分を信じて、自分を好きになる表現ステップです。

　アサーティブなコミュニケーションは、どんなに困難な状況でも、自分ひとりから始めることができます。ひとりから始めたとしても、しだいに共感しあえる仲間を見いだしていくコミュニケーションです。

　NOを伝えることは簡単じゃない？　むずかしい？

　そう思えたとしても、それは「できない」ということではありません。

　むずかしいと思えることに挑むときには、一番やりやすいと思えることから始めてみましょう。つまり、簡単なことがらからNOを伝えていくのです。

だれにでもある
コミュニケーションの癖

　では、まずは、自分の「よくあるパターン」をチェックして
みましょう。

　コミュニケーションは、ダンスをするようなもの。あなたは
いつも、どんなステップでダンスを踊っていますか？

「今晩、いっしょにライブに行かない？」と誘われました。

誘いを断わる４つのステップを見てみましょう。➡

キレるステップ「ギャオス」

「今晩、いっしょにライブに行かない？」

急に言わないで、
ひとの都合も考えてよ。
だれか別の人と
行ったらどう？
○○とか××とか。

声が大きい
ファイティングポーズ

「ギャオス」は……
相手より上にたとうとする攻撃ステップ。
支配されることを恐れて自分の言い分を押し通し、相手を打ち
負かすように主張をぶつける。相手を主語にして語る "あなた
メッセージ" で、相手を思いどおりにしようとする。それでい
て自分の言い分が通らないと、人知れず落ちこむ。

タメるステップ「オドオド」

「今晩、いっしょにライブに行かない？」

私なんかといっしょでいいの？

あのう……
あの…仕事が……
終わらなくて…
あと風邪ぎみ…ていうか…

声が小さい
落ち着かない…

「オドオド」は……

相手より下にたとうとする受身ステップ。

対立することを恐れて、相手に向きあうことを避け、自分の気持ちを押し隠す。相手に従うことで関係をとりつくろうが、自分の気持ちを察してくれことをひそかに期待しているため、反応が遅かったり、反応しなかったりする。

コモるステップ「ムッツリ」

「今晩、いっしょにライブに行かない？」

それどころじゃない。
めちゃめちゃ忙しいんだ。
仕事が山のようにあってさ。
ハー（深いため息）

声の抑揚がない
ため息　舌打ち

「ムッツリ」は……
表面的には受身ステップで、中身は攻撃ステップの"受身的攻撃"ステップ。侵入されることを恐れて、声は荒げずに相手を思いどおりにあやつろうとする。
理性的でスマートなポーズをとり、正しさで相手の気持ちを封じたり、相手に罪悪感を抱かせることで間接的にコントロールしようとする。

Assertive

たいせつ

しなやかステップ
「アサーティブ」

「今晩、いっしょにライブに行かない？」

今晩のライブに誘ってくれるの？
ありがとう！
今日はムリなんだ。
残念だけど行けない。
また今度、誘ってよ。

表情やしぐさと
ことばが一致
自然体

「アサーティブ」は……
自分の気持ちに耳をすませ、相手に向きあう恐れもふくめて、
正直に認める自己信頼ステップ。
私を主語にする "私メッセージ" で気持ちを誠実に伝える。
人と人のちがいを認め、おたがいの気持ちをやりとりすること
で問題を解決し、対等な関係をつくろうと努める。

基本はキャッチ＆NO

NOを伝えるとき、安心できる関係をつくろうと思ったら、基本はキャッチボールのイメージで。相手の気持ちをまず確認して、それをキャッチしてみましょう。それから落ち着いて、NOという気持ちのボールを返します。

明日、映画に行こうよ

えっ、映画に誘ってくれるの？

キャッチ

うん、そう

せっかくだけど、行けない
明日はムリだ

スロー

そう。じゃあ、また今度ね

ポイント：相手の気持ちを受けとめてからNOを言う

① キャッチ　相手の状況（頼み・要求）を確認する

相手がなにを頼みたいのか、相手の気持ちに耳をすませて具体的に確認します。

とくに、相手の真意があいまいなときや、聞きとりづらいときには、自分の思いこみではなく、相手に問いなおして確認をしましょう。

> 例
> 「○○（日時）に
> △△△（内容）かな？」

＊それからひと呼吸いれます

すぐに反応しなくても大丈夫！
自分の身体（頭・背すじ・胴）を意識して、ひと呼吸。

> あ〜、う〜む…
>
> 声を出して息を吐くことで、よけいな力がぬけて緊張がゆるみます。

② NO　率直にシンプルにNOを伝える

シンプルなわかりやすいことばで、相手の心にくり返し届けてみましょう。

NOと言いにくいときには、理由をあれこれつけるよりも、「ことばのクッション」（次のコーナーでくわし

> ● 〜できません。
> ● 〜したくないです。
> ● いいえ、
> 　けっこうです。
> ● いいえ、ムリです。

くお伝えします）を使いながら、シンプルにくり返し伝えます。

　相手の気持ちをキャッチすることは、相手の思いどおりに行動することではありません。

　NOと言うことは相手を拒絶することではなく、相手とのあいだにムリのない安心できる距離をつくることです。だから、親しい関係をつくるときには、相手の気持ちを受けとめるのと同時に、NOという自分の気持ちを伝えることが、気持ちのキャッチボールになるのです。

アサーティブにNOを伝える ❷
ことばのクッション

　頼まれることは、相手から信頼されて必要とされることですが、断わりたいときに断われないと、頼まれることがつらくなりますよね。NOをのみこんで断わらずにいると、波風は立たなくても関係は息苦しくなります。

　まずは「キャッチ＆NO」が基本。そのうえで、心地よい関係をつくるためのクッションの効いたフレーズを、いくつか練習してみましょう。

クッションA　　誘ってくれたことへの
　　　　　　　　　ポジティブな気持ちをつけ加える

うれしい提案やお誘いには、「ありがとう」「うれしい」という気持ちを添えることができます。

> 誘ってくれて
> うれしかった。
> ありがとう。

クッションB　　胸につかえる気持ちをつけ加える

「断わるのがつらい」「残念だ」という気持ちがストッパーになることもあります。仲のよい関係であるほど、そうした気持ちが生まれてくるでしょう。

> ● 残念だけど…
> ● せっかくですが…
> ● ありがたい
> 　お話ですが…

胸につかえる気持ちをそっととりだしてことばにすることで、リラックスすることができます。

　その場合も、まずシンプルに断わったあとで、気持ちをつけ加えると、クッションになります。

クッションC　別の可能性をさぐる変化球

道は二つに一つではありません。選択肢はいろいろあります。自分にできることを柔軟に考えたら、自分も相手もラクです。

> 明日はムリだけど、
> 来週の日曜は
> どうですか?

＊クッションABCは、NOを伝えたあとの「後づけ」のオプションです。先につけると、NOが伝わりにくくなります。「キャッチ＆NO」の基本ステップをふんでから、あわてずゆっくりつけ加えていきましょう。

時間をおく

すぐに気持ちが決められないときには、「しばらく時間がほしい」「あなたの気持ちをもう少しくわしく聞かせてほしい」と、猶予を設けることができます。

> お誘い(提案)
> ありがとう。
> すぐに答えられない
> ので、しばらく時間を
> ください。

もちろん、それは、選択するための時間をとることであって、際限のない先延ばしやその場しのぎではありません。

ムリに理由をつくらなくていい

　断わるために理由をつくる必要はありません。

　断わるために理由がいると思いこむと、「理由の説明」に終始して、本来伝えたいことが相手には明確に伝わりにくくなります。

トリ「明日、映画に行こうよ」

クロ「仕事が終わらないんだよ」

トリ「休むときは休んだほうが
　　　はかどるって」

クロ「ここんとこ、
　　　体調わるくて…」

トリ「行けばリフレッシュするよ」

クロ「おばあちゃんが入院しちゃって…」

トリ「きみのおばあちゃん、朝ジョグしてたよ」

　家族のせいにしたり、仕事のせいにしたりと、いつわりの理由づけをくり返して誤解されたり、こじれたりした経験はありませんか?

　やりたいけどできないとき、相手との関係を大切にしたいとき、そんなときほどアサーティブネスでは、シンプルに、誠実に、NOという気持ちを相手に伝えます。NOという気持ちを伝えることで、気持

ちのキャッチボールをして、相手との関係をつくっていきます。

　また、断わる理由が真実であっても、あなたが友人を誘ったとき、「彼（彼女）と会うからダメ」とか「サークルの発表で忙しいからダメ」とか他の用件をひきあいに出されると、どんな感じがしますか？　なんだかさびしく思うこともありますね。
　仲のよい友人や家族でも、すべてを明確に伝えるからいい関係というわけではなく、まずはシンプルにNOのボールを返してから、クッションをそえる練習（37ページ）をしてみましょう。
　親しい間柄こそ、NOと伝えることで、おたがいにムリのない関係がつくれることを忘れずに。

NOを伝えるキャッチボール

今度の日曜に○○○に行きませんか？

↓

気持ちを　**❶ キャッチ**

日曜の○○○のお誘いですね

ひと息入れる

シンプルに　**❷ NO**

日曜はムリです　　行けません　　むずかしいです

以下は状況と関係に応じて

ことばの　**❸ クッション**

A）誘ってくれたことへの
　ポジティブな気持ち

ありがとう

うれしい

楽しそう

B）胸につかえる気持ち

あいにく　　残念ですが

せっかくのチャンスですが

からだがふたつほしい

C）別の可能性を
　さぐる変化球　　来月なら行けます　　日程を変えられますか？

ひとリエア会議からの脱出

　仕事帰りに近所のケーキ屋に入って品定めをしているとき、あとからお客さんが数組続けて入ってきました。

　……わっ、ずいぶん後ろまで並んでいる。

　……最後の人は急いでいるみたい。

　……ゆっくり考えてたら悪いな。

　……すぐ後ろの人、イライラしてるみたい。

　……優柔不断にみられるかな。

　……たかがケーキなのに決められないなんて。

　……早くしなくちゃ。

　そう思うほど、なにを買いたいのかわからなくなって、ますます時間がかかって、後ろのお客さんたちを待たせています。無言の空気がだんだん重くのしかかってくるような……。

　そんなとき、「決められないんですが、もう少しいいですか?」と店の人に聞いたり、「時間がかかるので、お先にどうぞ」と後ろの人に言えば、状況は変わります。

　断わる場面でも、そんなことは起こります。

　「断わったら相手は不愉快だろう」「相手に悪い」と、相手の反応を察して先まわりして、自分の気持ちを伝えずにあいまいにするとき、それは相手を思いやっているようでいて、じつは自分がどう見られるかを気にしています。

　そういう状態では、自分の内側だけでセリフがふくらみます。

それは自分以外、だれにも聴こえていない会話です。相手に自分の気持ちを伝えぬまま、架空の相手と「エア会議」をしているようなものです。

　そうなると、ますます相手の存在はなくなり、自分の存在も心もとなくなるでしょう。

ひとりエア会議中

そんな自分の状態に気づいたら、そのまま相手に伝えてみることもできますよ。
「緊張で、考えすぎちゃうのが特技です」
「不安で、いま、エア会議中でした」
　正直な自己開示は、不要な緊張感をゆるめてくれます。

　それから、リアルな自分にアクセスしてみます。
　いまどんな感じ？　どうしたい？
　自分に問いかけ、心のセリフをそっと取りだして、目の前の相手に伝えてみましょう。
　アサーティブネスは正しいことばや正解を求めるのではなく、自分の正直な気持ちを伝えることで、心を開き、相手とやりとりする関係をつくります。

正解はないから
　心の扉を
　ちょっとずつ開く

アサーティブ・ジム

こんなとき、どうする？

10のエクササイズ

　NOを伝える〈筋力〉があるならば、NOを受けとる〈胆力〉も必要です。どちらも、使わないと、本来ある力も衰えがち。

　NOを伝えることが苦手な人は、相手のNOを受けとることも苦手かもしれませんね。伝える〈筋力〉をみがくために、受けとる〈胆力〉もいっしょに鍛えていきましょう。NOの伝え方がいろいろあるように、NOの受けとり方もいろいろです。

　ストレッチやスクワットをするように、ふだん使っていないところを伸ばしたり、いつもとちがう"からだの使い方"を試してみましょう。

　すると、自己信頼というインナーマッスルもついてきます。最初はぎこちなくても、自転車に乗るのと同じように、だんだんと遊びや余裕が生まれます。

　断わることが苦手だと思う人ほど、新しい外国語を学ぶつもりで、つぎのページから始まる10の場面を、声に出して、くり返して読んでみてください。

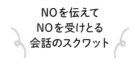

NOを伝えて
NOを受けとる
会話のスクワット

❶

仕事の依頼

朝イチで電話をもらえますか?

↓

❶ キャッチ

朝一番で連絡が必要なんですね

❷ NO

明日はあいにく電話ができません

❸ クッション& 変化球

明日は代休日なんです
代理の者に頼むことはできますよ

↓

NOの受けトリ

そうか、残念だなあ
あなたにやってほしかったので
また頼みますね

---

❷

仕事の依頼

明日、かわりに出てもらえますか?

↓

❶ キャッチ

私が代行するということですか

❷ NO

明日はムリです

❸ クッション&変化球

お役に立てず残念ですが、ほかに
なにかできることがありますか?

↓

NOの受けトリ

じゃあ、今日、この仕事を手伝って
もらえると助かります
どうですか?

家事の依頼

今晩の夕飯をつくってほしいな

↓

❶ キャッチ

今晩のごはん？ 私が？

❷ NO

今日はできないわ

❸ クッション＆変化球

疲れちゃって、ひと休みしたくてね
テイクアウトはどう？

↓

NOの受けトリ

それもいいね
このところ、おたがいに
忙しかったから、ゆっくりしよう

八巻香織●著

綴じ込み付録

12の感情タロット&
感情トランプmini

気もちの
リテラシー

「わたし」と世界をつなぐ12の感情　八巻香織
太郎次郎社エディタス

行き場のない気もちの落としどころって？

「おそれ」を感じるから、安心や安全がつくりだせる。
「NO」と言うから、YESが見つかる。
気もちとのつきあい方を知って、
風通しのよい世界へ。

付録 12の感情タロット mini
＆感情トランプ

だれでもできる
日々の
セルフケア

◆ さびしい ◆ 不安だ ◆ 緊張する
◆ 疲れた ◆ かなしい ◆ はずかしい
◆ 楽しい ◆ うれしい ◆ 好き
◆ おそれ ◆ 怒り ◆ いや・NO

自分の気もちの
専門家になろう

太郎次郎社エディタス

………それぞれの感情の持ち味を知って、つきあい方を見直してみる

「さびしい」とのつきあい方
　人を求め、新しい世界とつながっていくための感情

「不安」とのつきあい方
　不安が重すぎると本来のエネルギーが漏電する…

「おそれ」とのつきあい方
　おそれを感じるから、安全や安心がつくりだせる

「緊張」とのつきあい方
　張りすぎたバネ、のびきったゴムになるまえに

「疲れた」とのつきあい方
　無理を感じたときに休むためのプランをつくってみる

「はずかしい」とのつきあい方
　品位を保ちたいのは、自分を大切にしたいと願うから

「怒り」とのつきあい方
　自分が求めているなにかを気づかせてくれる感情

「かなしい」とのつきあい方
　感じることを禁じると、こころはますます冷え性になる

「いや・NO」とのつきあい方
　NOと言うから YES が見つかる、適度な距離が生まれる

「好き」とのつきあい方
　好きなものが教えてくれるのは自分自身、相手自身

「楽しい」とのつきあい方
　もっともっと楽しんでいい、自分を癒すために

「うれしい」とのつきあい方
　変化のプロセスを経たからこそ感じられる感情

発展コラム
Ally
気もちのアライ場

◆自分を“お留守”にしたあとで　◆イヤな気分がふくらむわけ　◆ためこんだ感情のゆくえ
◆からだからだ　◆感情は、こころのなかの子ども　◆境界線のからくり
◆まぜこぜ世界のサバイバル　◆らしさの箱　◆ほどよい距離でつきあう
◆息苦しさの正体　◆やってみてはじめてわかることを楽しむ　◆peace の木

第2章 気もちのリテラシーと出会う

………この本がなぜ生まれたか。気もちのリテラシーが
だれにとっても大切なわけ

書くことで「わたし」の声を聴く ／ 問いかけという支援
奪われたものをとりもどす ／ 自分を認めなければ語れない
だれもが持っている「気もちのリテラシー」……ほか

第3章 感情プレイングカードで遊ぶ

………思いがけない発見がある！
ひとりでも、グループでも

付録の
カードで

タロットの遊び方	トランプの遊び方
感情くじ引き	感情ならべ ①
名刺交換	感情ならべ ②
おしゃべりタロット	ハートの壁
お話づくり	Ally（アライ）抜き
お出かけタロット	感情あわせシェア
お留守番タロット	感情ダウト！

illustration●イワシタ レイナ

「さびしい」と感じたときに
どんなことをしますか？

好きな歌を聴く
自転車を走らせる
友だちにメールを送る
いっしょに遊べると誘ってみる
猫とふれる

いまここで考えるのはよい。いまできることのひとつとして作ったことのない、日ひとりだけないか「さびしい」時の取りで、さびしいなって、自分の素晴らしい感情の時で。

自分で、自発制作の時間で回なような時、ホール、スケール、LPA、ュルーーー合を通じ、その時、さまざまな方法が必要で時。
自分には、他人とともに生きるなりでか。

「さびしい」を感じないと、
孤立して、さびしい人になれるけれど、
「さびしい」は人とともに生きる
自立に欠かせない。

🐱 気もちのアライ場

イヤな気分がふくらむわけ

うらみまんじゅう

透明なドレッシングを入み、ゲルまに等に閉じこめているうちに、イライラ、よ
ネガネ、とメガネ。

そのは、イヤな気分をふくらませて二次作用作というれるね。
さらにゼットと見え、さらにだった。感情はドレッシングな生々！だから、気
もちがゼットと見える、感情はドレッシングな生々！だから、感
ネガネ、とうらみのたいでも。

「うらみまんじゅう」とどおだ！
「うらみまんじゅう」ことは、こころを食べてし、こころにまでき食えていく。意
怒はひんとねで何が残っている「もーも、食えないまんじゅう」だ。

気もちのリテラシー
「わたし」と世界をつなぐ12の感情

- 2019年6月刊
- A5判・128p＋綴じ込み付録カード
- ISBN978-4-8118-0834-5
- 定価＝**1700円**＋税

●ご注文方法……………………
　全国の書店・オンライン書店で取り扱っています
　このパンフレットを書店へお持ちいただくと便利です
　出版社への直接注文も承ります

●発行…………………………**太郎次郎社エディタス**
　〒113-0033 東京都文京区本郷 3-4-3-8F
　TEL 03-3815-0605　FAX 03-3815-0698
　www.tarojiro.co.jp

著者紹介

● 八巻香織（やまき かおり）

特定非営利活動法人 TEENSPOST 代表理事。世代やさまざまな違いをこえて
共に生きるための心の手あて、感情リテラシー、アサーティブネス、非暴力、
家族ケア、支援者のセルフケアをテーマにした学びのコーディネーター。
著書に『スッキリ！ 気持ち伝えるレッスン帳』『ひとりでできるこころの手あて』
『こじれない人間関係のレッスン』『こじれない NO の伝え方』など。

● TEENS POST（ティーンズ ポスト）

新しい時代の心の健康とコミュニケーションを共につくる民間非営利事業。25
年以上にわたり活動をつづけ、ティーンからシニアまで参加できる多様なプロ
グラムを企画運営している。**www.teenspost.jp**

家事の依頼

お風呂の掃除をお願い！

↓

❶ キャッチ

バスタブ洗うだけ？
タイルの壁も？

❷ NO

今日はやりたくないなー

❸ クッション

このあいだていねいにやったから、
掃除は明日で大丈夫だよ

↓

NOの受けトリ

じゃあ、今日はシャワーだけに
するわ。明日はお願い

誘い

今度の休みに映画に行こうよ

❶ キャッチ

ああ、あの映画？

❷ NO

今度の休みはむずかしいわ

❸ クッション＆変化球

誘ってくれてありがとう
別の日はどう？

NOの受けトリ

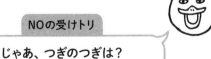

じゃあ、つぎのつぎは？
まだ上映してるか、調べてみるね

---

❻

誘い

いっしょに暮らそうよ

↓

❶ キャッチ

私と？ ほんと？

❷ NO

いまは答えられないな

時間をおく

いまはひとりでいたい
もう少し考えさせて

↓

NOの受けトリ

そうだね
おたがいムリはしたくないから
だた、もっといっしょに
いたかっただけ

教えて

SNSやってる？ アカウント教えてよ

❶ キャッチ

私のアカウント？

❷ NO

ないしょです (^.^)

❸ クッション

ただいまテスト中
ようすをみながらそのうちね

NOの受けトリ

うん、気持ちがむいたら
やりとりしよう

---
❽

もてなし

もっといかがですか？
（お酒、食べ物）

↓

❶ キャッチ

ありがとうございます

❷ NO

大丈夫です、もう十分です

❸ クッション

おいしかった！　ごちそうさま

↓

NOの受けトリ

そう言ってもらえるとうれしいです
ゆっくりしてね

ヘルプの依頼

高いところにある荷物を
取ってもらいたいんですが

❶ キャッチ

あそこの、あの荷物ですか？

❷ NO

困ったなあ…できないんです

❸ クッション＆変化球

腰を痛めているもので…
だれか手助けしてくれる人を
探しましょう

NOの受けトリ

腰痛、つらいですよね
私も腰痛もちなんです
そうだ！ 彼に頼もうかな

---

⑩

セールス

最新の調理器具はいかがですか？
お安くしておきますよ

↓

❶ キャッチ

セールスですか？

❷ NO

いりません、けっこうです
（ありがとう）

❗ セールスの場合はとくに、「いま時間がないから」「お金がないから」とか「そのメーカーが好きじゃないから」とか、理由を言うほど侵入されて断わりにくくなるので、シンプルに断わりましょう。「ありがとう」とことばを添えるのもアリ。

これは
トリつくしまが
ないわ……
トホホ

「お話きかせていただけますか?」

最近、だれかにNOって言いました?

友だちから「明日、映画に行こうよ」って言われたとき

そのとき、なんて断わりましたか?

ええとね、「えっ、うーん…いいけど、でもお金ないし」

そのとき使った表現のステップは、4つのうちのどれでしょう?

オドオド(タメるステップ)かな

そのときのご自分の表情や声のトーンは、どうだったと思いますか?

伏し目がち、小さな声、あと猫背だったかも

断わろうとしたのにストッパーに
なったのは、どんな気持ちでしたか?

「友だちがせっかく誘ってくれたのに、
断わったら悪い」って思ってた

あとでどんな気持ちになりましたか?

自己嫌悪みたいな気分

相手に気持ちが伝わったと
思いましたか?

いや。ホントに伝えたかったのは、
「明日は、行けない。せっかくだけど、
ムリだ」ということ

ほかの人とでも同じようなことが
ありましたか?

うん、ある。結局はちゃんと
断われなかったり

あなたが陥（おちい）りやすいパターンがある
としたら、どんなものでしょうか?

「相手の期待にムリして自分を
あわせる」パターンかも

アサーティブのステップを使う
ために、あなたにできることは
なんだと思いますか?

「相手の期待にあわせるのではなく、
相手の気持ちに耳を傾ける。
自分の気持ちを認める」かな

【インタビューを終えて──クロが発見したこと】

NOを伝えるかわりに、「いいけど…」とか「お金ないし」
とか、思ってもいないことを言ってたことに気がついた。

ちょっとインタビュー　今度はあなたに

「お話きかせていただけますか?」

最近、だれかにNOって言いました?

そのとき、なんて断わりましたか?

そのとき使った表現のステップは、
4つのうちのどれでしょう?

そのときのご自分の表情や声の
トーンは、どうだったと思いますか?

断わろうとしたのにストッパーに
なったのは、どんな気持ちでしたか?

あとでどんな気持ちになりましたか?

相手に気持ちが伝わったと
思いましたか?

ほかの人とでも同じようなことが
ありましたか？

あなたが陥りやすいパターンがある
としたら、どんなものでしょうか？

アサーティブのステップを使う
ために、あなたにできることは
なんだと思いますか？

インタビューを終えて――あなたが発見したこと

第3章

「そうは言っても…」 とあきらめるまえに

あるあるシチュエーション

NOと言えない
風土….

ぐっ

不器用
ですから…

ことばと本心がうらはら

断わったとたん機嫌わるい

だからって、NOを言えずにガマンしていたら…

やっぱりNOは
サラッと言って、サラッと受けとりたい

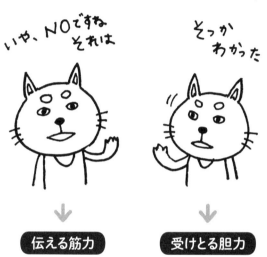

いや、NOですね
それは

そっか
わかった

↓

↓

伝える筋力

受けとる胆力

小さな一歩から変化は始まる

過去に傷ついたことがあったとしても

　ここまで1章・2章と、NOを伝えること、NOを受けとることについて考えてきましたが、〈わかっちゃいるけど、やめられない〉というパターンがあるのも事実ですよね。

　前のパートの「あるあるシチュエーション」を見ながら、どんなことを思ったでしょう?

□ クスッと笑ったり、吹いたりした
□ ドキッとした
□ かつての体験を思い出した
□ はっきりとした場面ではないけど、どこかでそんなことあ
　ったよなあという既視感

　そう、心は一瞬にして遠い時間をさかのぼりますよね。日常のなにげない場面でも、無意識のうちに心のスクリーンに映しだされていることがあります。

　そんなときほど、ついつい、なれ親しんだパターンにしがみつきたくもなるものです。

　ノンアサーティブなステップでNOを伝える/受けとることで、傷ついたり傷つけたりしたことがあったとしても、どうか自分を許してあげてください。傷ついた自分に寛容になってください。それは性格の問題ではありません。

アサーティブネスというセルフケア

アサーティブという新しい選択肢がなければ、同じような場面で同じような対応をくり返すことになります。

- それでも平気な自分でいられるか、試そうとするかもしれません。
- 自分になされたことをだれかにすることで、力をとりもどそうとするかもしれません。

そういうやり方は、ますます〈わかっちゃいるけど、やめられない〉パターンのくり返しとなって、自分を追いつめます。

人間関係で痛い思いをしたり転んだりすれば、だれだって、同じ道を通るのは怖くなりますよね。しばらくはじっとして、似たような場面は素通りして、自分を立て直したいと願うでしょう。

そんなときこそ、アサーティブネスを思い出してください。

〈わかっちゃいるけど、やめられない〉パターンの自分を責めるかわりに、新しいステップを踏んでみるのです。

そうして、いままでとちがう対処を試してみることは、傷ついた自分を手あてするセルフケアになります。

アサーティブネスは他者との関係修復だけでなく、自分自身との関係修復も手伝ってくれますよ。

10分の1のトライから始めよう

　1度にすべてが変わらなくても、10回に1度が変わってい
くとき、その先の5回に1度が近くなります。10回のうち9回
がいつものパターンであったとしても、1回はアサーティブに
なっています。

　そうして全体を眺めたときのアサーティブ度を、9回に1度、
8回に1度、7回に1度……と、一歩一歩ふやしていくことが、
アサーティブネスを身につけていく確かな道となります。

　だれに言われるのでもなく、いつものステップをちょっとだ
け変えてみるとき、自分への信頼度が高まります。そんなとき、
さんざん失敗し、傷ついた体験ですら、変化のプロセスの途中
だったと思えるようになりますよ。

こんなとき、どうする?

　なにごとも基本が大事——と言っても、基本をふまえたからこそ浮かび上がってくるむずかしいケースもあります。

　ついつい見送ってしまいがちなケースや、その場では手も足も出なかったケースも、落ち着いてふり返ってみることで、新しい〈筋力〉づくりへとつながります。

　きっとまた同じような場面に出会って、そのとき、そこで活かすことができます。

　アサーティブ・トレーニングでは、「乗り遅れたバスを見送ったとしても、また同じバスが巡回してやってきますよ」と言います。

　ちょっと上級編だけど、よくあるケースをそろえてみました。

❶ 親しい人だからこそ断わりにくいとき

［シチュエーション］
あなたの友だちが、急に家族で遊びにきたいと電話してきた。
ただ、今日はひさしぶりの休みで、あなたはひとりでのんびり
したいと思っていた。あなたなら、どう断わる？

まずは自己分析

キレるステップ「ギャオス」

おいおい、
少しはこっちのことも考えてよ。
急なんだよいつも、話がさ。

タメるステップ「オドオド」

あー……、
えっと、ごめんなさい、すいません。
ほかに約束があって……。
でも、そのぉ……
うん、わかった。→〈わだかまりが残る〉

コモるステップ「ムッツリ」

う〜ん、
私もけっこう忙しいんだよねー。

↓

やりなおしてみよう

しなやかステップ「アサーティブ」

今日はムリなんだ。ひさしぶりに会いたいけど、今日はひとりでゆっくりしたいんだ。来週にでも私から電話するよ。電話ありがとう。

断わることばはシンプルにまず先に伝え、誘ってくれたことへの感謝や、会いたいと思っている気持ちも同時に伝えることができる。

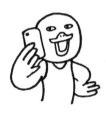

受けトリ

突然でおどろかせちゃったね。
会いたかったから、ダメもとで電話したんだ。
こんど電話ちょーだい。

あなたなら、この状況でなんと言いますか？

- -

- -

- -

❷ 受けたい気持ちはあっても、ムリなとき

［シチュエーション］
あなたに新しい仕事の依頼が入った。できることならやりたい
仕事だが、スケジュール的にはとてもムリ。あなたなら、どう
断わる？

まずは自己分析

キレるステップ 「ギャオス」

こんな忙しいときにかぎって、
なんで頼むんですか！
いいかげんにしてよ！

こわっ‼ もう二度と頼まないわ

タメるステップ 「オドオド」

あのーそのー、ちょっと……
いろいろ立てこんでいまして……
（しぶしぶ）やりますけど。
　　　　→〈このまま遅滞して抱えこむ〉

なに？ どうなの？ はっきりしてよ。イライラ…

コモるステップ 「ムッツリ」

引き受けてもいいですけど、
私は倒れますね。ええ、まちがいなく。

（ムッときて、絶句してモヤモヤ）

↓

やりなおしてみよう

しなやかステップ「アサーティブ」

仕事の依頼ですね。今回はお引き受けできません。残念ですが、どうしてもスケジュールがあいません。またお声をかけてください。

> 断わるのと同時に、次回にチャンスをつなげ、相手の依頼に感謝することができる。

受けトリ

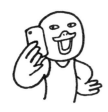

そーだよね。
忙しい時期だものね。
また頼むね。

❗ 〈受けたい気持ち〉と〈受けるという現実〉は別のものです。断わる場合でも、後づけで〈受けたい気持ち〉があることを伝えることができます。

あなたなら、この状況でなんと言いますか?

- -

- -

- -

❸ 初めてのことで不安があるとき

[シチュエーション]
最近参加した趣味のサークルの食事会に誘われた。

まずは自己分析

キレるステップ「ギャオス」

食事会のために
参加したわけじゃないですよ！

 えええ？　なにをとんがっているの？

タメるステップ「オドオド」

あのー……お腹の調子が悪くて
そのぉ……

いつもお腹の調子悪くなるよね

コモるステップ「ムッツリ」

えーーーー?!　もう食事会ですか。
それってどうなんすかね。

なんか、イラッとするんだわ

↓

しなやかステップ「アサーティブ」

初めてのこと、思いがけないこと、すぐに決められないことは、
答えをあせらず、わからないことを納得するまで聞いてみる。

 初めてで、雰囲気が気になるなあ…
↓

どこで何人くらいの会で、
始まりと終わりは
何時ですか？

6時スタート、
8時おひらき、
クロ屋で10人かな。

くわしく聞いたが気がすすまない…
↓

せっかくのお誘いですが、今回は遠慮します。
またの機会によろしくお願いします。

受けトリ

そっかー 残念！
また声かけるね〜

❹ 一度はYESと言ったものの、断わりたいとき

[シチュエーション]
友だちからひさしぶりの飲み会に誘われて承諾したが、どうしても気がすすまず、断わりたい。あなたなら、どうする？

まずは自己分析

キレるステップ「ギャオス」

二次会はカラオケって、いつ決めたの？
ゆっくり話もできない！

なにをそんなにイライラしてるのかな？

タメるステップ「オドオド」

あー、どうしよう、どうしよう、
どうしよう（心の声）
………（エア会議中）………

何を考えているのかな？ 遠い目してる

コモるステップ「ムッツリ」

あらら…またあの店かあ?!
同じ顔ぶれだし、進歩ないよね…
フーッ（ため息）

また、タメイキ光線、ぼやいてるわ

やりなおしてみよう

しなやかステップ「アサーティブ」

飲み会に「行く行く！」って返事したけど、じつは、グループ飲みは気がすすまなくて。今回は欠席します。まぎわでごめんね。今度ゆっくり話がしたいから、どこか場所を探してみます。

事実を事実として認めて、〈できないこと〉と〈できること〉を正直に伝える

受けトリ

了解。残念だけど、みんなに伝えておくね。
ゆっくり話すのもいいよね。
いいところ見つかったら知らせてね。

❗ 100％白か黒かで考えると、NOを伝えることも、NOを受けとることもむずかしくなりがち。ケースごとに、なにならYESで、なにに対してNOなのかを整理して、同時に認めてみましょう。

あなたなら、この状況でなんと言いますか？

- -

- -

- -

安全を
とりもどすためのNO

トラブル編

アサーティブにたち去る —— しつこい誘いやグチなどから

　行きたくない飲み会、断わっても断わってもしつこい誘い、説教やグチのたれ流し……。そのような状況では、自己信頼を保ちながら「たち去る」「逃げる」「場を離れる」という行動をとることが、大切なアサーティブ・ステップです。

密で閉じた場から
離れる

　ムリなことはムリ、できないことはできないと正直に認めて伝える。そんな誠実なコミュニケーションを鍛えてくれる場面は、日常のなかにいろいろあります。

　ひきつづき関係をつくっていく相手であれば、そのまま逃げて終わりではなく、その場面でどう感じたか、どうしてほしか

ったか、どうしたかったかについて、「出さなくていい手紙」を書いてみましょう。

認めた気持ちは、相手が落ち着いているときに、シンプルに伝えることができます。

このあいだ
私は……と感じた。
私は……してほしかった。
私は……したかった。
クロ

安全のために逃げる —— 暴力やプレッシャーから

安心できない関係で、身の危険を感じるときや、相手が強引で有無をいわせない場合には、その場を離れることが確実な「NO」となります。

相手を止めようとすることは安全ではありません（暴力やプレッシャーを止めるスイッチを相手は持っていません）。自分にできることに目を向けて、その場を離れます。

ことばが出せなくても、すぐにその場を立ち去り、安全な場所へ逃げます（たとえば、室内なら部屋の外へ。夜の路上なら、できるだけ明るいところや人のいるコンビニなどへ）。

とりあえず
安全なところへ

ズッ

安全をとりもどすために

相手にNOと伝えることが危険だと思う場面では、とりあえず、その場を立ち去って、離れたり、逃げたりすることがアサーティブな対処となります。そのあとは、ひとりで抱えこまず、話を聞いてもらう人や助けを得られる先を求めます。

アサーティブネスは情緒的自立を応援しますが、自立とは、ひとりでなんでもやることではありません。

自立と孤立はちがいます。自立とは、他人の力を借りて、他人とともに生きる力です。

しかし、助けが必要なときほど、心身がまいっていて、自己信頼も失って、「助けを求める」ことを忘れたり、「助けを求める」ことがハードルの高いものに思えたりするのも事実です。

そんなときは、アタマのなかでこんがらがっているものを書きだして、自分のなかの味方をみつけましょう。つぎのパートがきっと役にたちますよ。

ひとりぼっちじゃないよ
よくやってきたよねえ

ちょっとインタビュー　安全をつくるために

「お話きかせていただけますか?」

あなたが安全でないと感じた
場面は、いつですか?

そこでは、どんなことが
起きていましたか?

それはどこでしたか?

あなたの安全をおびやかす人は
だれですか?

新しい
対処法を
考えてみよう

その状況を変えたり、
脱出したりすることの
障害となっているのは、
どんなことでしょう？

このまま状況を変えないと、
どんなことが起きますか？

あなたの周りで、あなたの状況を話せる人は
だれですか？　3人思い浮かべてください。

? ? ?

それぞれの人にどんな助けを求められますか?

前ページ下の3つの欄に書いてみてください。

例 ● どこにどうやって助けを求めるかの情報

　　● 食事や買い物や日常生活のサポート

　　● 助言せず、ただ話を聞いてもらうこと

あなたが求める状況をことばにしてみましょう。

● 24時間以内に私が求めるものは

● 48時間以内に私が求めるものは

● 1週間以内に私が求めるものは

● 2週間以内に私が求めるものは

● 1か月以内に私が求めるものは

● 3か月以内に私が求めるものは

● 半年以内に私が求めるものは

あなたのゴールはなんですか?

　あなたの求めるもの、必要なものは、あなた自身が一番理解しています。だれにも理解してもらえないと思えるときにも、それをことばにすることで、道が開けます。そのとおりがかなわなかったとしても、かならず、新しい情報が入ります。

　もう一度、最初のページを思い出してください。

　あなたがNOと言うことで、あなたのYESがみつかります。

「コントロール」はこじれる関係

　仲良くなることは、相手を思いどおりにすること？

　相手の思いどおりになること？

　そうだとしたら人間関係は、コントロール合戦になります。

　コミュニケーションのステップ（p.30～33）を思い出してみましょう。つぎの３つのステップはノンアサーティブなステップと呼ばれ、断わる場合だけでなく、頼む場合にもあてはまります。

●**ギャオス**は、頼もうとすると「命令」になります。力ずくで言い分を押し通し、相手の行動をコントロールしようとします。

●**オドオド**は、頼もうとすると「回避」になります。とりつくろったりなだめたり、相手の感情をコントロールしようとします。

●**ムッツリ**は、頼もうとすると「操作」になります。教え諭したり、正そうとしたりして、相手の考えをコントロールしようとします。

こうしたコントロールのステップは、支配と服従の関係やハラスメント（パワハラ、モラハラ）、暴力を生みだしますが、認めることで、アサーティブ・ステップに変えることができます。

　●**アサーティブ**は、頼もうとするとき、
シンプルに気持ちを伝えます。
「～してほしいです」「～したいです」
そして、相手の気持ちを聴きます。
「どうですか？」
相手がNOのときは、受けとります。
場合によっては折りあいます。

　コントロールする関係や暴力に傷ついたときに、犠牲者意識やあきらめで自分をさらに追いつめたり、仲間を失ったり、孤立するのではなく、自分の気持ちにしたがって、自分を信頼し、自分を好きになる闘い方として、アサーティブネスは生まれました。
　それは同時に、知らず知らずのうちに自分が支配と服従の関係に組みこまれ、だれかを虐げたり、傷つけたりすることから自分を守ってくれます。また、ノンアサーティブで思いがけず傷ついたり、傷つけたりしたときに、やりなおすための関係修復のステップになります。

　あなたが心から求めてきたのは、どんな関係ですか？
　それを実現する味方が、アサーティブネスです。

「普通くん」のナゾ

新聞の10代の悩み相談コラムを担当していたときのこと。紙上でつぎのようなやりとりをしました。

質問:「普通」って、なに?

つくづくクラス内での「普通」に悩まされます。学校の鉄則は「みんな仲良く」。表面上のつきあいで、何をするにも集団行動。

陰で悪口を言っているのに、本人と会えば「○○ちゃん」とちゃん付けで呼びあう。つねに喜怒哀楽の「喜」。見ていて疲れます。みんな陰では友だちのことを「うざい」と言っているのに……。これが普通なんです。でもこれができないと、とたんに「異常」扱いされてイジメ。

「ばかばかしい」ってだれかに言いたいけどやっぱり「普通」には逆らえない。結局、周囲の目を気にしている自分にもウンザリです。

高校に行ってもそういう状況はかならずあると思います。やはり「みんなと仲良く」し、そのなかの「普通」にガマンしなければいけないんでしょうか。

回答：普通くん観察のススメ

あの「普通くん」に、あなたも悩まされているんですね。もう6〜7年くらいまえからかな、「普通くん」に関する情報が全国各地から続々と届くようになったのは。といっても「普通くん」はいろんな顔を持っていて、その正体はだれも見たことがない。

これまでの情報から、「普通くん」のお父さんは「世間」という名前で、お母さんは「人並み」という名前だというところまではわかってきたんですが、どこでどう暮らしているのか、ナゾは深まるばかり。

でも、ありのままの感情を押し殺している集団を見つけると、「普通くん」はかならず出没するらしい。

そういう集団を見つけると「普通くん」は生き生きとするんですが、そこにいる人たちは年齢・性別を問わず息苦しそう。

「ガマンしてないと損するぞー！」という「普通くん」の呪文に支配された集団は、特定の人を排除することで《みんな仲良く》一致団結しようとする。

「普通くん」は「イジメちゃん」なしには生きていけないみたい。そういう強力な「普通くん」について、いろんな角度から観察し、怒ったり、哀しんだり、楽しんだりしているうちに、不思議なんですが、《私ってけっこうイイやつじゃん》って思えてきたりします。あなたの中に棲んでいる、この「自己信頼さん」には、さすがの「普通くん」もタジタジみたいですよ。

「ティーンズメール」朝日新聞2002年4月2日付朝刊から

その後、このやりとりは、外国人留学生向けの問題集に使われました。問題集にはこんな質問がありました。

[問題] 上の文章（前ページ）は、新聞の相談コーナーにきた手紙に対する返事です。筆者が一番大切だと思っているものはどれですか？　次の四択から適する番号を□内に書きなさい。
  1.「自己信頼さん」
  2.「世間さん」と「人並みさん」
  3.「イジメちゃん」
  4.「普通くん」

『チャレンジ日本語〈読解〉』国書刊行会から

ここに登場する「世間さん」「人並みさん」は、日本で暮らす外国人が日本語の読み書きの習得以上に苦労することですが、この解答の4択は、日々の暮らしのなかでこじれた関係を読み解くときに、使えるキーワードかもしれません。それは日常にあふれる同調圧力として、私たちの気持ちのやりとりを知らずしらずに邪魔しています。

かかわるための
ほどよい距離をとりもどす

仲良しごっこはガマン大会?

　新しい環境で人間関係をつくっていくときには、だれもが不安や恐れや緊張を感じます。そんなものないフリしたり、感じないで仲良しのフリしていると、ますます息苦しくなってきます。

　その息苦しさから目をそらせるために、特定のだれかを排除したり攻撃したりすることが起こります。そうして、仲間同士でパワーゲームが生まれます。

　いじめ、ハラスメント、さまざまな暴力は、NOと言うことを認められない場所にはびこり、NOと言わずにガマンすることでますますふくらみます。

　人と仲良くなるというのは、意見が一致すること?
　対立しないように波風たてないこと?

　最初は、たがいに重なる部分で近づいていくとしても、かかわるうちに、ちがう部分が見えてくるでしょう。はじめは同じ歩調でも、それぞれに考え方も関係も変化していくのは自然なことです。

　それなのに、なにかズレが生じたとき、意見が一致して波風たたないことが仲のよいことと考えると、おたがいが合わせる

ことばかり考えて、気持ちのやりとりがなくなります。それは、表面的にはおだやかでも、中にいる人にとっては息苦しい関係です。

NOを認めれば、心地よい距離が生まれる

一見、なんの問題もなく仲がよさそうに見えるのに、からみあって、もつれた糸のようになった状態では、コントロールしあったり、近づくほどに決裂したり。どこまでが自分でどこまでが相手なのかがあいまいになります。

関係が息苦しいとき、ムリしないといられないとき、おたがいを認めあう適度な距離が失なわれています。

そんなときには、NOを認めることから、ほどよい距離をとりもどすことができます。相手が大切にしたい人であるほど、NOを認めることでかかわれるようになります。

アサーティブで踊ろう

NOを認めない関係では、知らず知らずに、どこか弱いところにそのひずみやしわ寄せが集中します。

さらに、そういう環境では、NOと言えないことや自己信頼がないことを、個人の性格や能力のせいにして責められることもあります。

「お人よし」とか「だまされやすい」とか「甘い」とか。そして、自分を責めたりもしますよね。

でも、それって、性格や能力の問題なのでしょうか?

コミュニケーションやメンタルの問題は、目に見えないぶん、

性格と混同されることが多いのですが、自分のパターンをふり返り、その表現ステップを認めたら、個人の性格の問題だと思っていたことを、人格と切り離して眺められるようになります。

　さらには、NOと言える／言えない、という白黒思考をこえて、

「NOの伝え方にはいろいろあって、それはダンスのステップのように、最初はぎこちなくても、練習したらだれでも上達できる、変えられる」

というのが、アサーティブネスの魅力です。

　自分はどんなステップを使っていたかを認めると、別のステップでやり直しができるようになります。

　そう、認めたことは変えられるのです。

おわり、という、はじまり

　アサーティブなコミュニケーションは、いつもシンプルです。うまい言いまわしとか、美辞麗句はいりません。

　それに、表現は十人十色、正解もまちがいもありません。クッションや変化球や応用も楽しんでみてください。

　たまには、思いっきりギャオスしたり、オドオドしたり、ムッツリになりきることも試してみてください。自覚的にやると、あら不思議、アサーティブになっていたりもします。

　物事が複雑にもつれてこじれるときは、その原因を探すより、シンプルに基本に戻りましょう。

　あらためて、シンプルに伝えて、シンプルに受けとめて、もう一度、NOという気持ちとヨリを戻しましょう。

　伝え方のステップと受けとり方のステップをアップデートしていきましょう。

　コミュニケーションは、フレッシュな生もの。

　イキのいいNOを伝えたり、受けとったり、さあ、ここからが、またスタートです！

　この本が、かかわりたい人とかかわるための、しなやかなコミュニケーションのさらなる探究につながればと思います。

八巻香織（やまき・かおり）

特定非営利活動法人TEENSPOST代表理事。世代やさまざまな違いをこえて共に生きるための心の手あて、感情リテラシー、アサーティブネス、非暴力、家族ケア、支援者のセルフケアをテーマにした学びのコーディネーター。著書に『スッキリ！ 気持ち伝えるレッスン帳』『ひとりでできるこころの手あて』『こじれない人間関係のレッスン──7daysアサーティブネス』『気もちのリテラシー──「わたし」と世界をつなぐ12の感情』などがある。
● TEENSPOST（ティーンズポスト）
　https://www.teenspost.jp（PC版／携帯版）

．．．

ほどよい距離でつきあえる

こじれないNOの伝え方

2020年7月25日　初版印刷
2020年8月20日　初版発行

著者…………八巻香織
イラスト……イワシタ レイナ
デザイン……新藤岳史
発行所………株式会社太郎次郎社エディタス
　　　　　　東京都文京区本郷3-4-3-8F
　　　　　　〒113-0033
　　　　　　電話 03-3815-0605
　　　　　　FAX 03-3815-0698
　　　　　　http://www.tarojiro.co.jp
印刷・製本……シナノ書籍印刷

ISBN978-4-8118-0842-0 C0011